Mis agradecimientos a Francina

Av. Pla del Vent 56, 08970 Sant Joan Despí, Barcelona
e-mail: corimbo@corimbo.es
www.corimbo.es
Traducción al español de Rafael Ros
1ª edición Julio 2009

Título de la edición original: «Lian»
Impreso en Francia por Jean-Lamour, Maxéville
ISBN: 978-84-8470-308-2

Chen Jiang Hong

Lian

Corimbo

El señor Lo es un pescador solitario.
Su junco es su hogar.
Está triste, este año hay pocos peces.
Se pasa los días esperando.

Un día de tormenta, una mujer muy, muy anciana, pide al señor Lo que la lleve al otro lado del lago. Una vez en la otra orilla, la anciana le dice :
— Gracias, pescador. Aquí tienes unas semillas que te traerán buena suerte porque vienen de la boca de un dragón.

Llega la noche. El señor Lo planta con delicadeza las semillas.

De repente, un campo de loto empieza a crecer.

Esa misma noche, el señor Lo es despertado
por una dulce melodía que parece venir de las flores.
Una de ellas brilla extrañamente en la oscuridad.

— Lian, Lian — canta la flor de loto.
Y de repente, sus pétalos se abren descubriendo
a una niña dormida.

La niña se despierta y se pone revolotear.
Es Lian.

— ¡Cambia! — dice Lian tocando el junco del señor Lo con la punta de su loto mágico. Y el junco se transforma en un extraordinario barco lacado en rojo.

No necesita más que rozar la mesa y al instante aparece una opulenta cena. Roza al señor Lo y sus ropas de algodón se convierten en un traje de seda más suntuoso que el del emperador.

Cada noche a la misma hora Lian se despierta,
sale de la flor de loto y hace aparecer tanto pescado
que el señor Lo puede repartirlo
entre todos los habitantes del pueblo.

Pero a medianoche,
Lian ha de volver a dormir a su flor.

La noticia de la suerte
del señor Lo corre como
el viento.

Llega a oídos de Tan,
la hija del prefecto.

— ¡Que alguien traiga a esa Lian, la quiero! — dice.

Los guardias del prefecto parten en su busca.

Pero el señor Lo se niega a decirles dónde se encuentra Lian. Entonces los soldados montan en cólera. Prenden fuego al barco y destrozan el campo de loto.

Y hacen prisionero al señor Lo.

Al despertar, Lian está sola
en medio del desastre.
Pero sabe a quién acudir.
Va a ver a la anciana mujer,
a la cumbre de la montaña.

La anciana mujer le dice:
— La injusticia, la codicia y la crueldad no triunfarán.
Sécate las lágrimas y ve a salvar al señor Lo.

Lian corre hasta la morada del prefecto.
Ningún fiero guardián puede detenerla.

— ¿ Quieres liberar al señor Lo ? — dice el prefecto —. Es muy fácil. Toma tu loto mágico y transforma todo lo que ves aquí en oro.

Lian obedece. Con la punta de su loto, toca todo lo que ve. Incluso hace aparecer joyas.

El prefecto está loco de felicidad, pero…

… Para su hija, Tan, parece que no es suficiente.
Alarga la mano para apoderarse del loto mágico.

—¡No! —grita Lian—.
¡No lo toques!
Pero es demasiado tarde. Apenas
Tan roza el loto se convierte en oro
y se queda tan inmóvil como una
estatua.

— ¡Hija mía! — exclama el prefecto —. Lian, te lo suplico, devuélveme a mi hija.

— Es imposible — dice Lian con tristeza —. Tan ha tocado el loto. El hechizo se ha roto. Mi flor ya no es mágica.

El prefecto está desesperado.
Libera a Lian y al señor Lo.

Adiós magia, adiós vestidos de seda, adiós cestas llenas de pescado. Hay que volver a construir un barco y pescar con las manos.

Pero a partir de ese momento Lian es una verdadera hija.

Ya no vivirá más en una flor y está feliz de crecer junto a un padre que se ocupa de ella.